荷花開

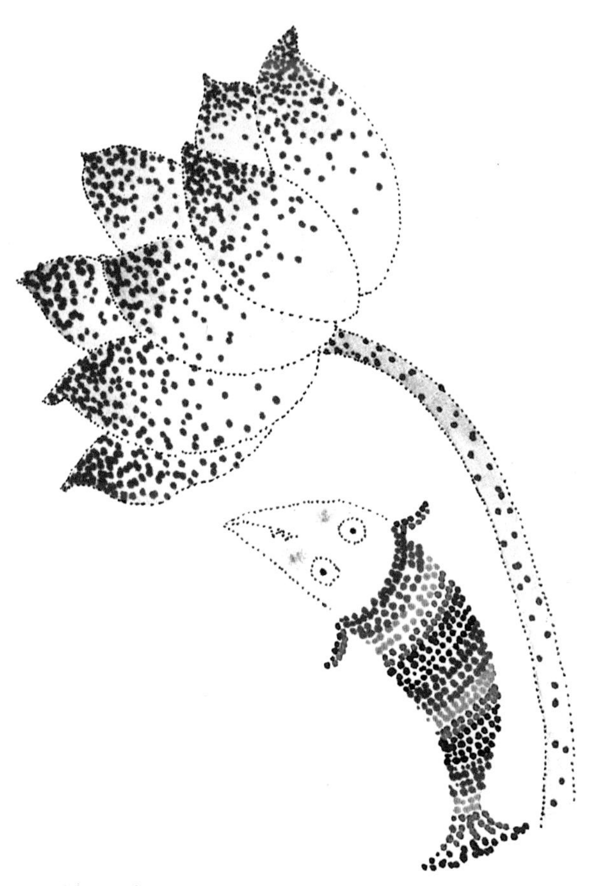

趙國宗老師指導

繪圖者／楊傳信、劉桂芳、楊炯秋、蕭惠君、吳正義、吳杏雪、張國雄

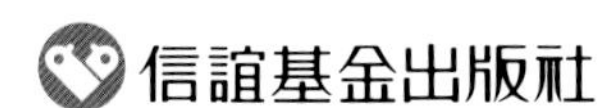

信誼基金出版社

給父母的話

兒歌是開拓、滋潤孩子心靈的一淺清流，中國的傳統兒歌歷經了時間的潤澤與空間的傳佈，更是我們珍貴的文學遺產。

爲了讓現代的孩子與文學傳統有美好的接觸，「**荷花開・蟲蟲飛**」從幾千首傳統兒歌中，精挑細選了36首兒歌，配上各種深具童趣、民俗藝術畫風的插圖，賦予視覺美感的欣賞；並錄製了2卷活潑動聽的錄音帶，有念有唱，讓孩子在有聲有色、有情有意裡，快快樂樂的吟唱兒歌。

「**荷花開・蟲蟲飛**」的每一首兒歌，用字淺顯，節奏感強，輕快活潑，能吸引幼兒一念再念，自然且自發的學習，

目錄

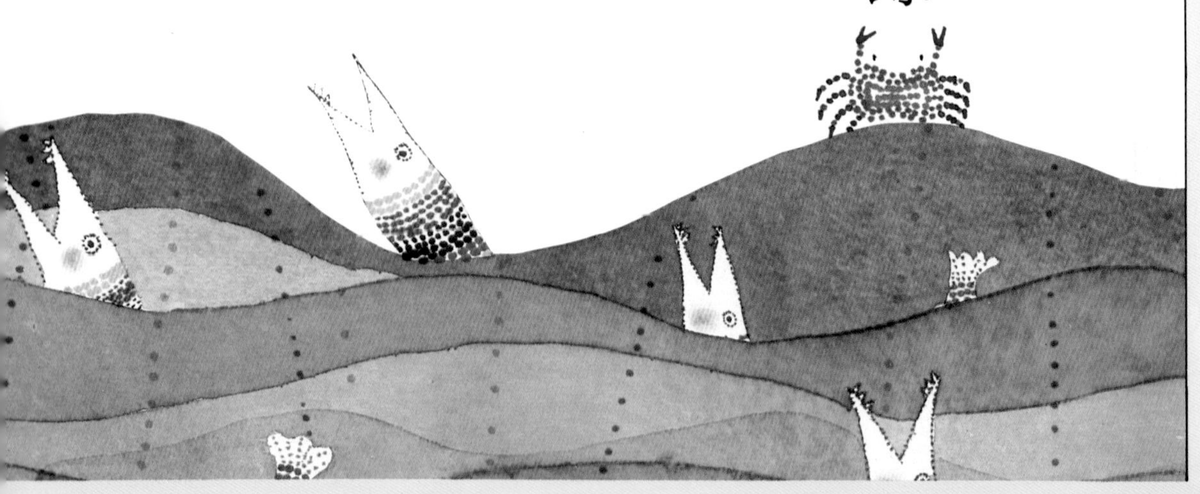

不僅題材豐富，內容更是親切、生活化，描述幼兒周遭可愛的事或物（如：小貓咪、青蛙、小老鼠）和生活中的遊戲小趣味（如：小板凳、小皮球、滑稽歌），幼兒可以在熟悉的情境中感受到歡樂，進而發揮聯想力、創造力。

此外，我們選擇多樣性的兒歌型式，提供給幼兒各種語言練習的機會，如問答歌（砰砰砰），幼兒在問答中能體會人際溝通的趣味；連鎖歌（大魚來），激發幼兒連鎖的想像力；繞口歌（鵝鵝飛、小老頭），可訓練幼兒辨音、發音能力；數字歌（冬瓜），在趣味中傳達了數字概念；遊戲歌（小皮球兒、大拇哥），可配合遊戲而吟唱。

我們希望幼兒在這些不同型式的兒歌中做舌頭體操時，他們快樂的心也能如荷花開放，潛力的發揮隨蟲蟲飛起來！

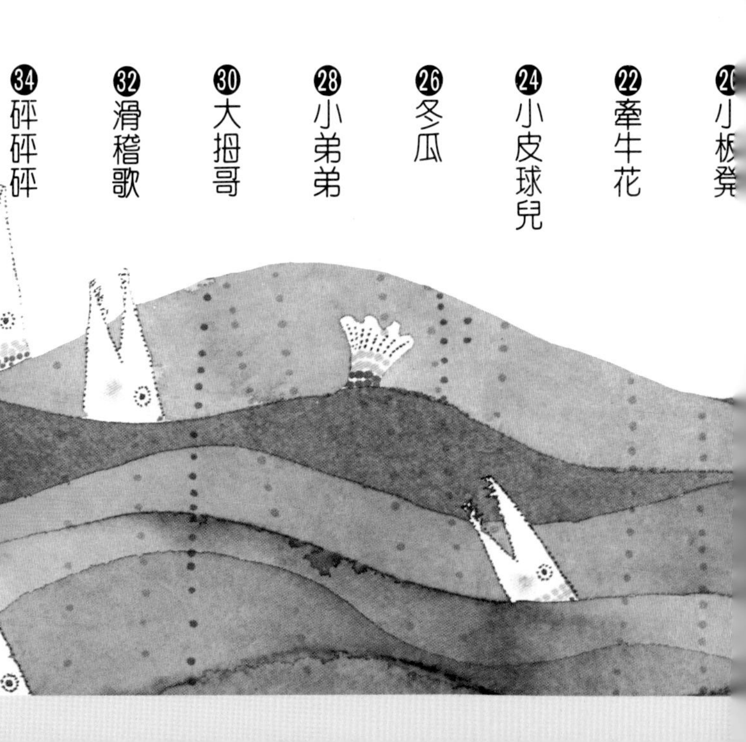

蝌蚪

小黑球，
水裡游，
細細的尾巴，
大大的頭。

雨

千條線，
萬條線，
掉到河裡
都不見。

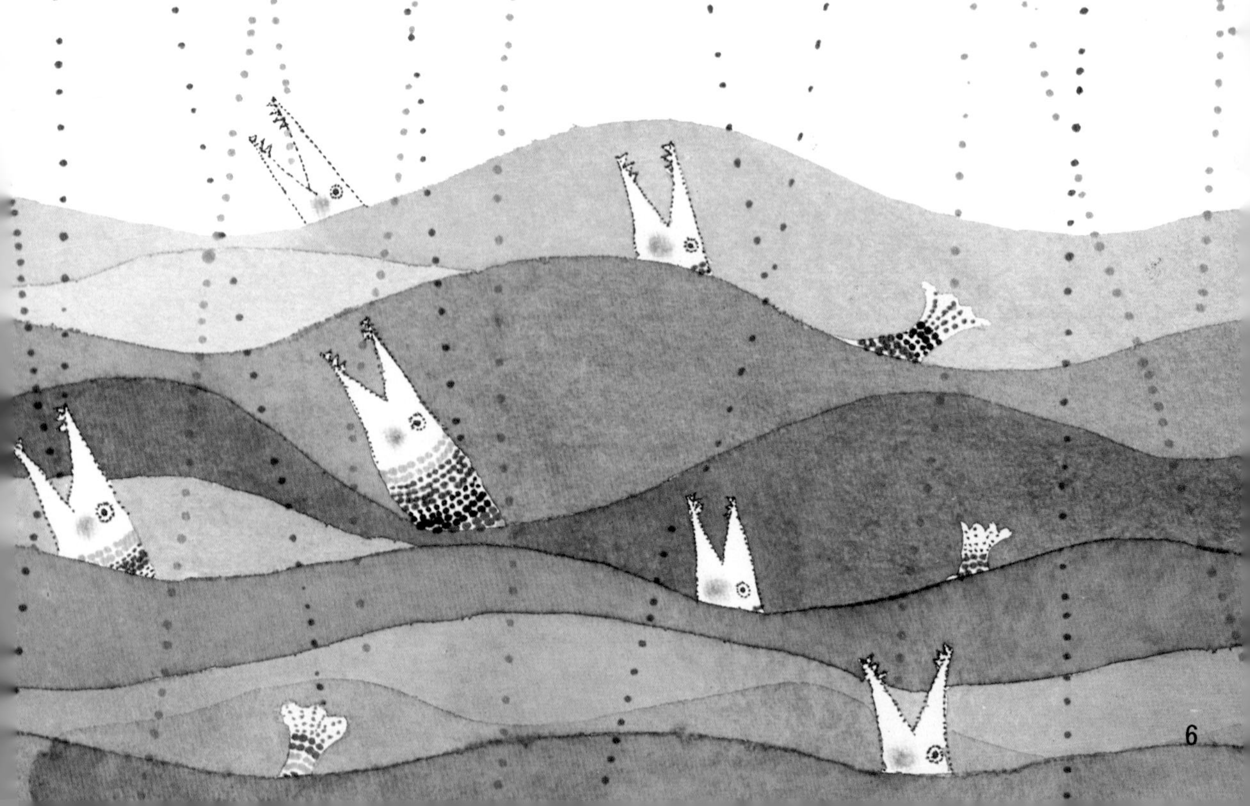

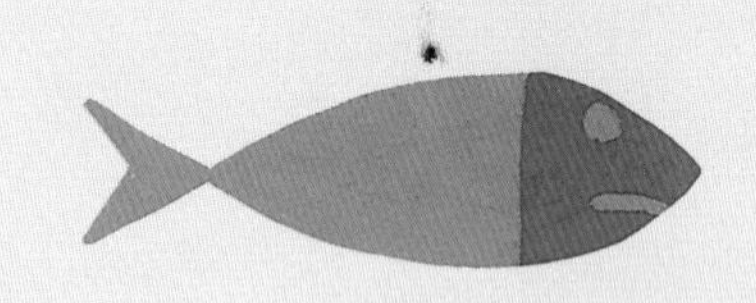

小貓咪

小貓咪，
過河西，
跟奶奶，
吃東西，
扯花布，
做花衣。

外婆橋

搖搖搖，
搖到外婆橋，
外婆說我好寶寶。
糖一包，果一包，
還有餅兒還有糕。

青蛙

一隻青蛙，
一張嘴，
兩個眼睛，
四條腿，
撲通撲通
跳下水。

小老鼠

小老鼠，上燈臺，
偷油吃，下不來；
叫媽媽，媽媽不來，
叫爸爸，爸爸不來，
嘰哩咕嚕滾下來。

鵝鵝飛

天上一隻鵝，
地上一隻鵝，
鵝飛，鵝跑，
鵝追鵝。

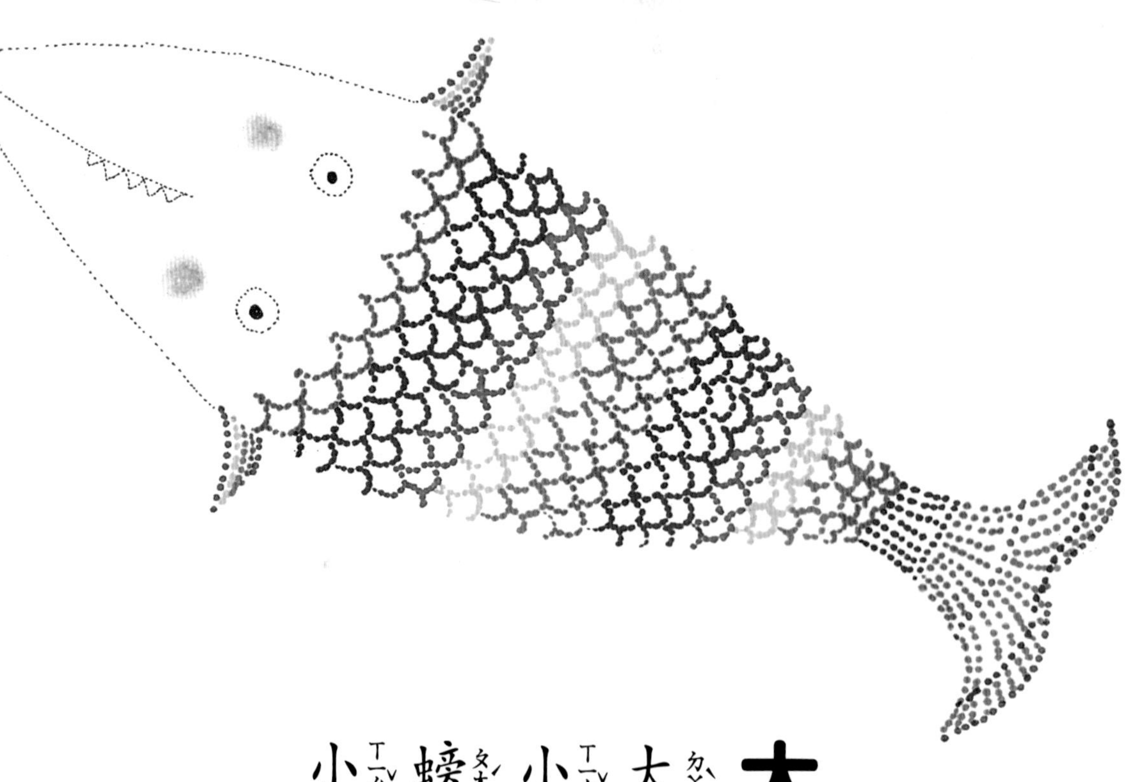

大魚來

大魚不來小魚來，
小魚不來螃蟹來；
螃蟹來了小魚來，
小魚來了大魚來。

小板凳

小板凳，你別歪，
我請媽媽坐下來，
我給媽媽捶捶背，
媽媽說我好寶貝。

牽牛花

竹籬下，有棵花，
什麼花？牽牛花。
牽牛花，眞笑話，
不牽牛來牽喇叭。

小皮球兒

小皮球兒、香蕉、梨，
滿地開花二十一，
二五六、二五七，
二八、二九、三十一。

冬瓜

冬瓜冬瓜，
兩頭開花，
開花結子，
結子開花；
一個冬瓜，
兩個冬瓜，
三個冬瓜，
……十個大冬瓜。

小弟弟

小弟弟，
學哥哥；
哥哥走，
他也走；
哥哥坐，
他也坐；
哥哥讀書，
他不會，
拉著喉嚨
唱山歌。

大拇哥

大拇哥，
二拇弟，
中三娘，
四小弟，
小妞妞，
來看戲。
手心、手背、
心肝寶貝。

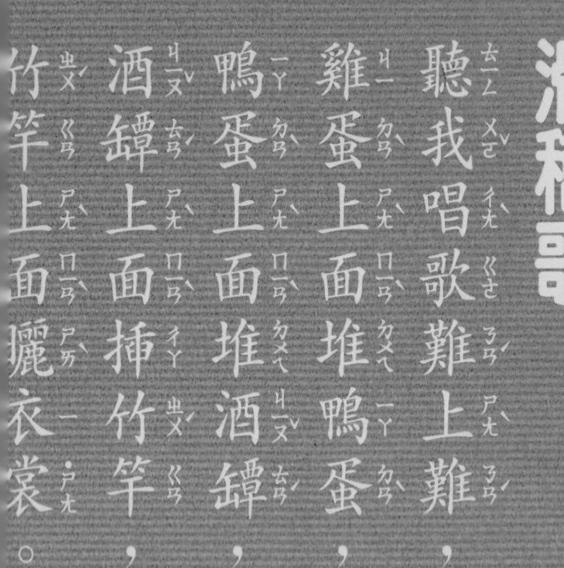

滑稽歌

聽我唱歌難上難，
雞蛋上面堆鴨蛋，
鴨蛋上面堆酒罈，
酒罈上面插竹竿，
竹竿上面曬衣裳。

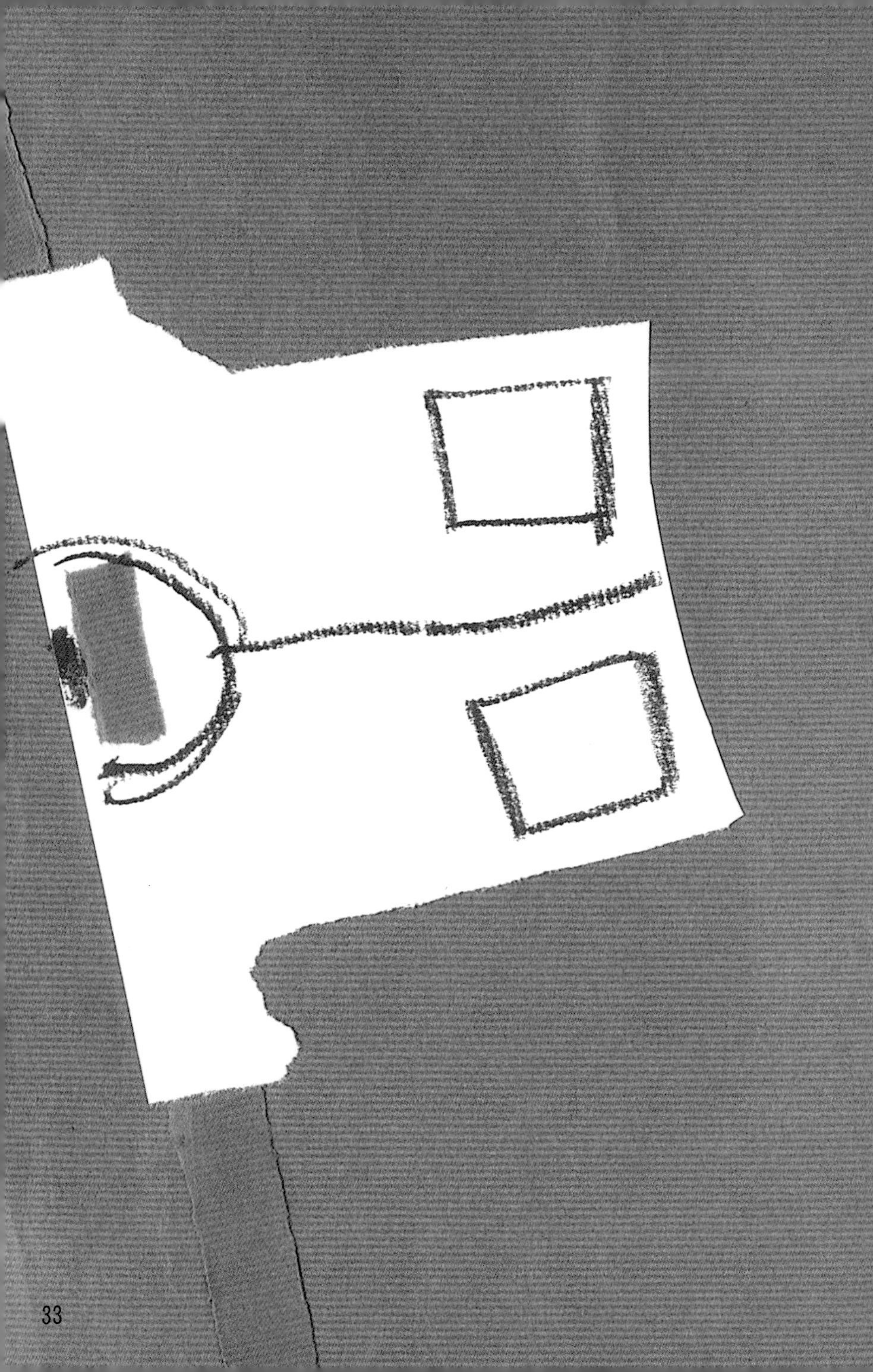

砰砰砰

砰(ㄆㄥ)砰(ㄆㄥ)砰(ㄆㄥ)
請(ㄑㄧㄥˇ)開(ㄎㄞ)門(ㄇㄣˊ)！
你(ㄋㄧˇ)是(ㄕˋ)誰(ㄕㄟˊ)？
我(ㄨㄛˇ)是(ㄕˋ)王(ㄨㄤˊ)小(ㄒㄧㄠˇ)弟(ㄉㄧˋ)。
你(ㄋㄧˇ)來(ㄌㄞˊ)做(ㄗㄨㄛˋ)什(ㄕㄜˊ)麼(˙ㄇㄜ)？
借(ㄐㄧㄝˋ)刀(ㄉㄠ)子(˙ㄗ)。
借(ㄐㄧㄝˋ)刀(ㄉㄠ)子(˙ㄗ)做(ㄗㄨㄛˋ)什(ㄕㄜˊ)麼(˙ㄇㄜ)？
劈(ㄆㄧ)木(ㄇㄨˋ)柴(ㄔㄞˊ)。

劈(ㄆㄧ)木(ㄇㄨˋ)柴(ㄔㄞˊ)做(ㄗㄨㄛˋ)什(ㄕㄜˊ)麼(˙ㄇㄜ)？
做(ㄗㄨㄛˋ)蒸(ㄓㄥ)籠(ㄌㄨㄥˊ)。
做(ㄗㄨㄛˋ)蒸(ㄓㄥ)籠(ㄌㄨㄥˊ)做(ㄗㄨㄛˋ)什(ㄕㄜˊ)麼(˙ㄇㄜ)？
蒸(ㄓㄥ)包(ㄅㄠ)子(˙ㄗ)。
蒸(ㄓㄥ)包(ㄅㄠ)子(˙ㄗ)做(ㄗㄨㄛˋ)什(ㄕㄜˊ)麼(˙ㄇㄜ)？
送(ㄙㄨㄥˋ)給(ㄍㄟˇ)外(ㄨㄞˋ)婆(ㄆㄛˊ)吃(ㄔ)。

小老頭

一個老頭
拿把斧頭，
上山頭
砍木頭。
先砍這一頭，
再砍那一頭，
一不小心
摔了個大跟頭。
後頭來了個小丫頭，
手裡拿了個大饅頭

扶起小老頭，
給他大饅頭，
兩人一起下山頭。

荷花幾月開

荷花荷花幾月開？
正月不開二月開。
荷花荷花幾月開？
二月不開三月開。
荷花荷花幾月開？

荷花荷花幾月開？
四月不開五月開。
荷花荷花幾月開？
五月不開六月開。
荷花荷花幾月開？
六月不開永遠不再開。

荷花開

文／中國傳統兒歌　繪圖指導／趙國宗
圖／楊傳信、劉桂芳、楊炯秋、蕭惠君、吳正義、吳杏雪、張國雄
發行人／何壽川　總編輯／張杏如　生產管理／吳志強
出版／信誼基金出版社　總代理／上誼文化實業股份有限公司　臺北市重慶南路二段75號　電話／23913384(代表線)
定價／兩本書+兩片CD　新臺幣600元　郵撥／10424361　上誼文化實業股份有限公司
網址／http://www.hsin-yi.org.tw　1992年7月初版　1998年12月二版一刷　行政院新聞局局版北市業字第184號
ISBN／957-642-094-6(一套：精裝)　ISBN／957-642-095-4(精裝)
印刷／中華彩色印刷公司　裝訂／精益裝訂股份有限公司　

WATER LILIES ARE BLOOMING

Selected from Chinese Nursery Rhymes.